Prêt la veille

Pour cuisiner sans stresser

CLOROPHYL
EDITIONS

Sommaire

Desserts

Index

Trucs et astuces

Pour cuisiner sans stresser

S'organiser, faire les courses

- **Vérifiez** que vous disposez bien du temps nécessaire à la préparation et à la cuisson et assurez-vous de disposer de la place nécessaire sur la table ou le plan de travail. Commencez par les recettes qui demandent le temps de cuisson le plus long, elles cuiront pendant que vous préparerez les autres. Et comme les pros, faites la vaisselle au fur et à mesure. Quel plaisir quand la vaisselle est terminée avant la fin de la cuisson du plat !

- **Viandes :** faites-les découper à l'avance, vous gagnerez du temps lors de la préparation et lors de la cuisson. *Blanquette de veau – Sauté d'agneau au curry et aux raisins secs – Tajine de poulet aux pêches – Lapin aux olives.*

- **Petits pois :** pensez aux petits pois surgelés. Faites-les décongeler à température ambiante et utilisez-les comme des petits pois frais. *Flan aux légumes.*

- **Patate douce :** la patate douce n'a de commun que le début de son nom avec la pomme de terre classique. C'est un légume tropical qui se trouve de plus en plus facilement sur nos étals. Sa saveur sucrée est très appréciée des enfants (et des parents !). Elle se conserve très longtemps dans un endroit sec. Ne l'épluchez pas, faites-la cuire à l'eau pendant 20 minutes, sa peau s'enlèvera très facilement ensuite. Utilisez-la en purées ou en accompagnement de viandes. *Couscous aux sept légumes.*

- **Figue :** la saison des figues fraîches s'étale de juin à octobre. Quel bonheur de la consommer fraîche, à peine cueillie. Consommez-la rapidement après l'achat car elle s'abîme très vite, mais ne la placez surtout pas au réfrigérateur, elle perdrait toute sa saveur. Savourez-la en dessert et testez-la aussi rôtie, en accompagnement de volaille, ou bien associé à du fromage de chèvre ou à du jambon cru en apéritif. *Tajine de fruits au miel.*

* Les vins sont donnés à titre de suggestion. L'abus d'alcool est dangereux pour la santé. À consommer avec modération.

Du côté de la cave*

- **La conservation du vin :** le lieu idéal est une cave, bien aérée, légèrement humide, avec une obscurité totale et une température comprise entre 10 et 14 °C. Si vous n'avez pas de cave, utilisez le fond d'un placard, loin d'une source de chaleur, ce qui accélèrerait le vieillissement du vin. Éliminez toute trace de mauvaise odeur car le bouchon y est très sensible. Isolez thermiquement les bouteilles (caisses en polystyrène, couverture), pour éviter les écarts de température. Le vin doit toujours être en contact avec le bouchon, c'est pourquoi il est recommandé d'entreposer vos bouteilles à l'horizontale.

Gagner du temps

- **Raisins secs :** pour faire gonfler des raisins secs rapidement, suffit de les faire tremper 1 heure dans de l'eau tiède. Pour alle plus vite, vous pouvez aussi les placer dans un bol avec un pe d'eau, couvrir de film alimentaire et faire chauffer au micro-ondes durant 1 minute, à puissance moyenne. Pour aromatiser le raisins secs, vous pouvez ajouter un peu d'alcool de type rhum o cognac dans l'eau. *Salade de chou rouge aux raisins secs – Saute d'agneau au curry et aux raisins secs – Taboulé oriental aux raisins*

- **Riz :** le riz peut se cuire très facilement la veille. Il aura l'avantage d'être bien sec le lendemain. Égrainez-le bien avec une fourchette après l'avoir égoutté. Il suffira de le réchauffer au micro-ondes recouvert d'un film alimentaire. *Blanquette de veau – Saute d'agneau au curry et aux raisins secs – Poulet basquaise.*

- **Orange :** pour éplucher facilement une orange, il suffit d la plonger quelques instants dans de l'eau bouillante. Vous retirez sans peine la peau ainsi que la membrane blanche u peu amère. *Soupe d'agrumes au miel – Esquimaux aux fruits – Tajine de fruits au miel – Sangria – Salade de chou rouge au raisins secs – Osso bucco.*

Remplacer un ingrédient

Chili : pour une recette express, vous pouvez utiliser des haricots rouges en conserve. Égouttez-les bien et laissez mijoter selon les indications de la boîte. Le reste de la recette est inchangé. *Chili con carne.*

Fraises : si ce n'est pas la saison des fraises, faites-vous plaisir avec une charlotte aux poires. Faites cuire les poires dans un mélange de sucre et d'eau, ajoutez des pépites de chocolat ou des épices pour relever le goût. Le reste de la recette reste inchangé. *Charlotte aux fraises.*

Pêches : variez les plaisirs avec un tajine aux poires. Pelez les poires, coupez-les en quartiers et faites-les revenir dans du beurre. Incorporez trois cuillères à soupe de miel et 5 cl d'eau de fleur d'oranger. Ajoutez-les au tajine juste avant de servir. *Tajine de poulet aux pêches.*

Saumon : vous pouvez réaliser des rillettes de thon en remplaçant le saumon par une grosse boite de thon. Égouttez-le bien, puis émiettez-le. Mélangez à du fromage frais de type St-Moret, ajoutez le jus d'un demi-citron, de la ciboulette ciselée, du sel et du poivre. Mettez au frais une nuit. *Rillettes de saumon.*

Cuisiner en avance

■ **Doublez les proportions :** c'est aussi facile de préparer un plat pour 4 ou 8 personnes. Il suffit d'augmenter les proportions. Cuisinez vos plats en sauce en grande quantité et congelez le surplus dans des boîtes en plastique. *Blanquette de veau – Filets mignon aux fruits secs – Poulet basquaise.*

■ **Herbes :** ciselez les herbes non utilisées et faites-les sécher. Mettez-les dans un bol, couvrez et placez au micro-ondes en position réchauffage. Remuez toutes les 30 secondes, jusqu'au séchage complet. Conservez-les dans une boîte hermétique. *Taboulé oriental aux raisins – Tajine de poulet aux pêches.*

■ **Tian :** prolongez le plaisir de ces saveurs du soleil en utilisant le reste du tian en accompagnement d'un plat de pâtes dans les deux jours suivants. *Tian provençal.*

Réussir à coup sûr

■ **Abricots secs :** pour les rendre plus moelleux, vous pouvez les faire tremper 1 heure dans de l'eau tiède. *Tajine de fruits au miel – Filets mignons aux fruits secs.*

■ **Blanquette :** une gousse de vanille fendue en deux ajoutée en début de cuisson apporte des parfums à l'ancienne à la blanquette. N'oubliez pas de retirer la gousse en fin de cuisson. *Blanquette de veau.*

■ **Sel :** votre plat mijoté est trop salé ? Ajoutez une pomme de terre pendant la cuisson, elle absorbera tout le sel. N'oubliez pas de la retirer en fin de cuisson !

■ **Soupe :** pour encore plus de saveur, pensez à parfumer vos soupes avec un cube de bouillon de légumes ou de volailles. *Soupe de potiron – Velouté glacé de courgettes à la sarriette.*

■ **Aubergine :** la chair des aubergines noircit très vite. Citronnez la pulpe des aubergines aussitôt après les avoir coupées. *Couscous aux sept légumes – Tian provençal – Moussaka.*

■ **Mousse au chocolat :** pour une mousse plus aérienne et très foncée, incorporez le chocolat dans les blancs et non l'inverse. Variez les parfums en intégrant à la mousse des raisins secs marinés dans du rhum, ou dans du café fort. Si vous souhaitez une recette express, placez le saladier de présentation au congélateur 15 minutes avant de verser la préparation, le temps de prise au congélateur sera réduit à 1 heure. *Mousse au chocolat – Gâteau à la mousse au chocolat et au caramel.*

■ **Béchamel :** une béchamel fraîche est si simple à préparer ! Faites fondre 40 g de beurre, saupoudrez de 40 g de farine et remuez 2 minutes. Ajoutez le lait froid et fouettez sans cesse jusqu'à ce que la béchamel épaississe. Parfumez avec une pincée de noix de muscade ou du gruyère. Testez aussi le kiri qui lui donne un moelleux incomparable. *Lasagnes.*

Cake à la feta

Préparation 15 min   **Cuisson 40 min**   Difficulté ★★   Budget ○

Les Ingrédients
pour 6 personnes

- 3 œufs
- 1 sachet de levure
- ½ bouquet de cerfeuil
- 250 g de feta
- 200 g de farine
- 10 cl d'huile d'olive
- 10 cl de crème liquide
- 1 noisette de beurre pour le moule
- Sel, poivre

■ Préchauffez le four th 6 (180 °C). Versez la farine et la levure da un saladier. Creusez un puits au centre, puis cassez-y les œu Mélangez au fouet en incorporant l'huile petit à petit, puis versez crème liquide. Fouettez bien.

■ Coupez la feta en dés. Lavez, séchez et effeuillez le cerfeuil. Hachez grossièrement. Ajoutez le cerfeuil et la feta dans la pâte. Salez, poiv et mélangez bien.

■ Beurrez un moule à cake et versez-y la préparation. Enfournez faites cuire 40 minutes.

■ Sortez le cake du four et laissez-le refroidir complètement. Démou le cake et emballez-le bien dans du film alimentaire. Réservez-le da un endroit frais.

■ Le lendemain, coupez le cake en tranches épaisses, puis chac tranche en quatre parts. Mettez-les dans un plat, enfoncez-y d petits pics en bois et servez en apéritif ou en entrée.

Vin conseillé Bourgogne blanc à 9 °C

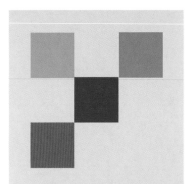

Flan aux légumes

Préparation 40 min   **Cuisson 1 h 30**   **Difficulté ★★**   **Budget ○**

Les Ingrédients
pour 6 personnes

- 4 pommes de terre
- 3 œufs
- 2 jaunes d'œufs
- 2 carottes
- 1 boule de céleri
- 150 g de petits pois frais
- 100 g de haricots verts
- 40 cl de crème fraîche
- 1 noix de beurre pour la terrine
- Sel, poivre

Coupez le céleri en morceaux, puis épluchez-le. Pelez les pomm⋯ de terre et coupez-les en morceaux. Mettez les morceaux de céleri⋯ de pommes de terre dans une casserole, couvrez-les d'eau et sale⋯ Portez à ébullition et laissez cuire pendant environ 25 minutes. L⋯ légumes doivent être tendres.

Pendant ce temps, épluchez les haricots verts et les carottes. Coup⋯ les carottes en tous petits dés et les haricots verts en deux. Fait⋯ cuire les carottes, les haricots verts et les petits pois 20 minutes da⋯ de l'eau bouillante salée. Égouttez et réservez.

Préchauffez le four th 6 (180 °C). Égouttez le céleri et les pomm⋯ de terre et mettez-les dans le bol d'un mixeur. Ajoutez la crèm⋯ fraîche, les œufs et les jaunes d'œufs, salez et poivrez bien. Mix⋯ jusqu'à obtention d'une purée fine. Versez la purée dans un saladi⋯ et ajoutez les petits légumes. Mélangez.

Beurrez généreusement une terrine. Versez la préparation da⋯ la terrine et posez-la dans un bain-marie. Couvrez de papi⋯ d'aluminium et enfournez. Faites cuire 45 minutes. Vérifiez la cuisso⋯ avec la lame d'un couteau. Sortez la terrine du four et du bain-mar⋯ et laissez-la refroidir complètement avant de la placer au frais jusqu'a⋯ lendemain.

Le jour même, démoulez la terrine dans un plat et coupez-la ⋯ tranches. Servez avec une salade verte.

Vin conseillé Côtes de Saint-Mont rosé à 9 °C

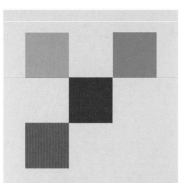

Fromage de chèvre mariné aux anchois et aux tomates

Préparation **25 min**   Cuisson **1 h**   Difficulté ★★   Budget ○

Les Ingrédients
pour 6 personnes

- 6 tomates
- 3 fromages de chèvre frais
- 2 gousses d'ail
- 2 branches de basilic
- 1 petit bocal d'anchois à l'huile
- 2 cuill. à café de thym
- Huile d'olive
- Sel de Guérande
- Poivre du moulin

■ Préchauffez le four th 4 (120 °C). Lavez les tomates, coupez-les deux dans la hauteur et posez-les sur la plaque du four recouve de papier sulfurisé. Salez, poivrez, arrosez d'un filet d'huile d'olive enfournez. Faites cuire pendant 1 heure.

■ Pendant ce temps, pelez et hachez finement les gousses d'ail. Lav séchez et effeuillez le basilic. Coupez les fromages de chèvre en de Sortez les tomates du four et laissez-les refroidir.

■ Mettez les fromages de chèvre, les tomates, les anchois, l'ail, le bas et le thym dans une terrine ou dans un bocal, en les alternant et les poivrant légèrement.

■ Arrosez d'huile d'olive, couvrez et laissez mariner au frais penda 24 heures.

■ Servez avec des tartines de pain frottées à l'ail.

Vin conseillé Bourgogne-Aligoté à 9 °C

Rillettes de saumon

Les Ingrédients
pour 6 personnes

- 500 g de filets de saumon sans arêtes et sans peau
- 2 yaourts de type Fjord
- 2 tiges d'aneth
- 1 cuill. à soupe de moutarde forte
- 1 cuill. à soupe d'huile d'olive
- Sel, poivre

■ Faites pocher les filets de saumon dans de l'eau bouillante sa[...] pendant 15 minutes. Égouttez, laissez refroidir, puis effilochez [...] chair.

■ Lavez, séchez, effeuillez et ciselez l'aneth.

■ Mettez la chair de saumon dans le bol d'un mixeur. Ajoutez [...] yaourts, la moutarde, l'huile d'olive et l'aneth. Mixez rapidement.

■ Versez dans une terrine, salez, poivrez et mélangez. Placez au fr[...] pendant 24 heures.

■ Servez le lendemain avec de fines tranches de pain grillées.

Vin conseillé Chablis à 9 °C

Salade de chou rouge aux raisins secs

Préparation 25 min **Cuisson 1 min** **Difficulté ★★** **Budget ○**

Les Ingrédients

pour 6 personnes

- 1 chou rouge
- 2 oranges
- 1 botte de petits oignons blancs
- 1 pointe de cumin moulu
- 120 g de raisins secs blonds
- 4 cuill. à soupe d'huile de tournesol
- 1 cuill. à soupe de vinaigre de Xérès
- Huile de friture
- Sel, poivre

■ Faites tremper les raisins secs dans de l'eau tiède. Coupez le ve des oignons aux deux tiers de leur hauteur, puis coupez les oignons e quatre dans la longueur. Réservez-les au frais sous film alimentaire.

■ Pelez les oranges à vif. Détachez les quartiers les uns des autres e passant la lame d'un couteau entre les fines membranes les séparan Travaillez au-dessus d'un saladier de manière à récupérer le jus de oranges. Coupez les quartiers en deux et mettez-les dans un saladier

■ Émincez finement le chou rouge et ajoutez-le dans le saladie Égouttez les raisins et incorporez-les dans le saladier. Mélangez bien Filtrez le jus d'orange et versez-le dans un bol. Ajoutez le vinaigre l'huile, le cumin, du sel et du poivre. Fouettez à la fourchette.

■ Versez la sauce sur la salade de chou et mélangez bien. Couvrez d film alimentaire et placez au frais jusqu'au lendemain.

■ Juste avant de servir, faites chauffer l'huile de friture dans un casserole et plongez-y les oignons quelques secondes, par petite quantités, le temps qu'ils dorent. Égouttez-les et posez-les su du papier absorbant. Décorez la salade d'oignons frits et serve aussitôt.

Vin conseillé Bordeaux blanc sec à 9 °C

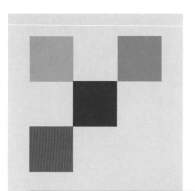

Salade piémontaise

Préparation **25 min** Cuisson **50 min** Difficulté ★ Budget ○

Les Ingrédients
pour 6 personnes

- 6 pommes de terre à chair ferme
- 6 cornichons
- 3 tranches épaisses de jambon
- 3 tomates
- 3 œufs
- 1 gros bouquet de ciboulette
- Sel

Pour la sauce :

- 6 cuill. à soupe de mayonnaise
- 2 cuill. à café bombées de moutarde forte

Épluchez et coupez les pommes de terre en cubes. Mettez-les dans le panier d'un cuit-vapeur, salez et faites cuire 40 minutes.

Lavez et coupez les tomates en petits morceaux. Coupez les cornichons en rondelles. Coupez les tranches de jambon en dés.

Mettez les œufs dans une casserole. Couvrez d'eau, salez et portez à ébullition. Faites cuire 10 minutes. Égouttez et rafraîchissez les œufs puis écalez-les et coupez-les en petits quartiers.

Mélangez les pommes de terre, les morceaux de tomates, les quartiers d'œufs durs, les dés de jambon et les rondelles de cornichon dans un saladier. Couvrez de film alimentaire et placez au frais jusqu'au lendemain.

Juste avant de servir, fouettez ensemble la mayonnaise et la moutarde, et versez la sauce dans le saladier. Lavez, séchez et ciselez la ciboulette. Ajoutez-la dans le saladier et mélangez bien. Rectifiez l'assaisonnement et servez aussitôt.

Vin conseillé Sauvignon à 9 °C

Sangria

Préparation **10 min**   Cuisson **sans**   Difficulté ★   Budget ○

Les Ingrédients
pour 6 personnes

- 1,5 l de vin rouge de qualité
- 1 l d'eau gazeuse
- 5 cl de cognac
- 100 g de sucre en poudre
- 3 citrons verts
- 2 oranges
- 1 bâton de cannelle
- 1 gousse de vanille
- 1 pincée de noix de muscade

■ Brossez les citrons et les oranges sous l'eau froide. Coupez-les quartiers.

■ Mettez le sucre en poudre dans un grand saladier.

■ Versez le vin par-dessus et ajoutez les épices et les quartiers de frui Mélangez bien.

■ Mettez au frais pendant 24 heures.

■ Au moment de servir, ajoutez le cognac et l'eau gazeuse. Servez tr frais.

Soupe de potiron

Les Ingrédients
pour 6 personnes

- 1 potimarron
- 4 pommes de terre
- 1 gousse d'ail
- 25 cl de crème fraîche épaisse
- 30 g de beurre
- 1 cuill. à café de baies roses
- Sel, poivre

■ Coupez le potiron en gros morceaux et épluchez-le. Épluchez ◖ coupez les pommes de terre en morceaux. Pelez et coupez la gouss◖ d'ail en deux.

■ Faites fondre le beurre dans une grande cocotte. Faites revenir le◖ morceaux de potiron et de pommes de terre quelques minutes, e◖ remuant avec l'ail. Couvrez d'eau à fleur et laissez cuire à peti◖ bouillons jusqu'à ce que le potiron et les pommes de terre soier◖ tendres.

■ Quand le potiron et les pommes de terre sont cuits, mixez la soup◖ finement. Assaisonnez bien et laissez refroidir avant de placer au frai◖ couvert de film alimentaire jusqu'au lendemain.

■ Le jour même, remettez la soupe sur feu doux, ajoutez la crèm◖ fraîche et faites réchauffer doucement en remuant.

■ Répartissez dans des bols, parsemez de baies roses et servez trè◖ chaud.

Vin conseillé Graves blanc à 9 °C

Taboulé oriental aux raisins

Préparation 25 min   **Cuisson 5 min**   Difficulté ★   Budget ○

Les Ingrédients
pour 6 personnes

- 375 g de semoule de blé fine
- 300 g de raisins secs
- 5 citrons jaunes
- 3 tomates
- 2 poivrons rouges
- 1 bouquet de persil
- 1 bouquet de menthe
- 8 cuill. à soupe d'huile d'olive
- Sel, poivre

■ Préparez la semoule selon les indications du paquet. Laissez refroidir en l'égrainant régulièrement. Faites tremper les raisins da de l'eau tiède.

■ Lavez les tomates et les poivrons. Ouvrez les poivrons en de et épépinez-les, retirez les pédoncules des tomates. Coupez l poivrons et les tomates en petits dés.

■ Pressez le jus des citrons. Mélangez le jus de citron et l'huile d'oli Lavez, séchez et effeuillez le persil et la menthe. Ciselez-les. Égoutt les raisins.

■ Mettez la semoule dans un grand plat. Ajoutez les dés de légum les raisins et les herbes ciselées. Salez et poivrez. Mélangez av les mains, puis arrosez de sauce citron-huile d'olive. Mélangez nouveau.

■ Couvrez le plat de film alimentaire et placez-le au frais jusqu' lendemain. Mélangez bien avant de servir.

Vin conseillé Côtes de Provence rosé à 9 °C

Tarte au poireau et au jambon

Préparation 20 min   **Cuisson 45 min**   Difficulté ★   Budget ○

Les Ingrédients
pour 6 personnes

- 1 rouleau de pâte brisée
- 6 poireaux
- 2 tranches de jambon épaisses
- 2 œufs
- 1 pincée de muscade
- 20 cl de crème épaisse
- 80 g de parmesan râpé
- 50 g de beurre
- 1 noisette de beurre pour le moule
- Sel, poivre

Émincez et lavez les poireaux. Faites fondre le beurre dans une sauteuse. Ajoutez les poireaux et faites-les suer 20 minutes, en remuant régulièrement. Salez et poivrez.

Pendant ce temps, préchauffez le four th 6/7 (200 °C). Coupez les tranches de jambon en petits lardons. Beurrez un moule à tarte garnissez-le de pâte. Piquez le fond avec une fourchette.

Dans un bol, fouettez à la fourchette la crème, les œufs, le parmesan la muscade et les lardons de jambon. Poivrez. Ajoutez les poireaux mélangez bien. Versez la préparation dans le fond de tarte. Enfournez et faites cuire 25 minutes.

Sortez la tarte du four et laissez-la refroidir complètement. Démoulez la et emballez-la soigneusement dans du papier d'aluminium Réservez au frais.

Le lendemain, découpez la tarte en parts et servez avec une salade verte.

Vin conseillé Alsace-Pinot blanc à 9 °C

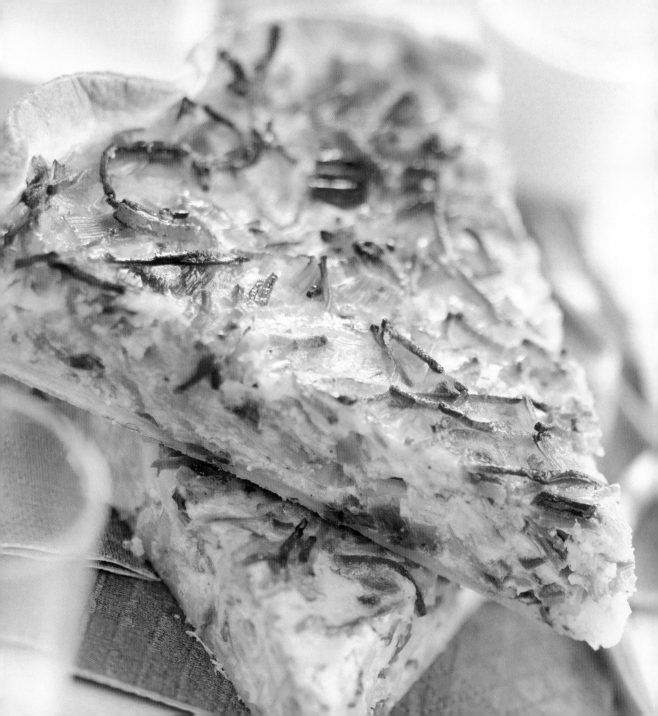

Tartelettes aux courgettes

Préparation 40 min   **Cuisson 35 min**   **Difficulté ★★**   **Budget ○**

Les Ingrédients
pour 6 personnes

Pour la pâte:
- 250 g de farine
- 125 g de beurre
- 10 cl d'eau
- 1 cuill. à café bombée de sel
- ½ cuill. à café de graines de cumin
- 1 noix de beurre pour les moules

Pour la garniture:
- 3 courgettes
- 300 g de fromage de chèvre frais
- 150 g de crème fraîche
- 10 cl d'huile d'olive
- 2 cuill. à soupe de graines de sésame
- Feuilles de basilic pour la décoration
- Sel, poivre

■ Préparez la pâte: tamisez la farine et le sel dans un saladier. Creus[ez] une fontaine au centre. Placez-y le beurre coupé en parcelles et [les] graines de cumin. Travaillez avec le bout des doigts jusqu'à obtent[ion] d'un mélange sableux. Ajoutez alors l'eau petit à petit, en travaillant av[ec] la paume de la main, jusqu'à obtenir une pâte lisse et homogène. Fai[tes] une boule et réservez-la au frais.

■ Lavez et coupez les courgettes en rondelles fines. Mettez-les dans [le] panier d'un cuit-vapeur, salez et poivrez. Faites cuire à la vapeur penda[nt] 15 minutes.

■ Retirez les courgettes du cuit-vapeur, mettez-les dans un plat creux [et] laissez-les refroidir. Arrosez-les d'huile d'olive, rectifiez l'assaisonnem[ent] et placez au frais, sous film alimentaire, jusqu'au lendemain.

■ Préchauffez le four th 7 (210 °C). Beurrez six petits moules individuels [et] garnissez-les de pâte. Piquez le fond avec une fourchette. Recouv[rez] la pâte de papier sulfurisé et remplissez de haricots secs. Enfournez [et] faites cuire 20 minutes. Sortez les fonds de tarte du four et démoul[ez]-les sur une grille. Laissez-les refroidir, puis réservez-les dans une bo[îte] hermétique.

■ Le lendemain, mixez le fromage de chèvre avec la crème fraîche, du [sel] et du poivre. Répartissez la préparation dans les fonds de tarte. Égout[tez] les courgettes. Arrosez le fromage de chèvre d'un filet d'huile de [la] marinade des courgettes, puis répartissez les rondelles de courgettes [sur] la préparation au fromage. Parsemez de graines de sésame et déco[rez] de feuilles de basilic. Servez aussitôt.

Vin conseillé Bandol rosé à 9 °C

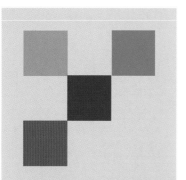

Terrine de betteraves et de carottes en gelée

Préparation **30 min**   Cuisson **25 min**   Difficulté ★★   Budget ○

Les Ingrédients
pour 6 personnes

- 1 kg de carottes
- 10 feuilles de gélatine
- 3 betteraves cuites
- 1 petit bouquet de ciboulette
- 1 cuill. à café de graines de cumin
- Sel, poivre

■ Faites ramollir les feuilles de gélatine dans de l'eau froide. Pelez carottes et coupez-les en rondelles fines. Faites-les cuire 20 minut dans de l'eau bouillante salée. Égouttez-les et laissez-les refroid Coupez les betteraves en deux, puis en lamelles fines.

■ Portez ½ l d'eau à ébullition. Retirez du feu et ajoutez les graines cumin. Couvrez et laissez infuser 10 minutes. Filtrez l'eau et portez de nouveau à ébullition. Retirez du feu et faites-y fondre la gélatin bien essorée, en fouettant.

■ Chemisez une terrine de film alimentaire et disposez une couche rondelles de carottes dans le fond. Recouvrez-la d'une couche fine lamelles de betteraves. Salez et poivrez. Versez de la gelée « à fleu et placez au frais 10 minutes.

■ Recommencez l'opération jusqu'à épuisement des ingrédients, remettant bien au frais 5 à 10 minutes entre chaque couche. Couvr la terrine de film alimentaire et placez-la au frais jusqu'au lendemai

■ Servez la terrine en tranches, parsemées de ciboulette ciselée, av une salade de pousses d'épinards.

Vin conseillé Saumur-Champigny à 16 °C

Tomates confites

Préparation 5 min   **Cuisson 3 h**   **Difficulté ★**   **Budget ○**

Les Ingrédients
pour 6 personnes

- 6 tomates bien mûres
- 1 tige de basilic
- Huile d'olive
- Sel, poivre

■ Préchauffez le four th 5 (150 °C). Lavez, séchez et coupez les tomat en deux.

■ Posez-les, côté bombé vers le haut, sur la plaque du four recouve de papier sulfurisé. Arrosez-les d'huile d'olive et enfournez. Fai cuire 3 heures.

■ Sortez les tomates du four, laissez-les refroidir, puis mettez-les da un plat creux. Arrosez-les à nouveau d'huile d'olive, salez et poivre

■ Réservez au frais, couvert de film alimentaire, jusqu'au lendemain

■ Utilisez les tomates confites taillées en petites lamelles dans u salade, en apéritif ou en accompagnement d'une viande rouge, les décorant de feuilles de basilic.

Vin conseillé Bordeaux Supérieur rouge à 15 °C

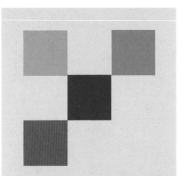

Velouté glacé de courgettes à la sarriette

Préparation **20 min** Cuisson **30 min** Difficulté ★ Budget ○

Les Ingrédients
pour 6 personnes

- 9 courgettes
- 10 petites branches de sarriette
- 1 filet d'huile d'olive
- 75 cl de bouillon de légumes
- 20 cl de crème liquide
- Sel, poivre du moulin

■ Lavez soigneusement les courgettes. Coupez les extrémités détaillez-les en petits morceaux. Placez les morceaux de courgett dans le panier d'un cuit-vapeur, puis salez et poivrez. Ajoutez un p d'eau dans le fond, couvrez et faites cuire 20 minutes.

■ Faites chauffer le bouillon. Lavez, séchez et effeuillez quatre branch de sarriette.

■ Quand les courgettes sont cuites, mettez-les dans le bol d' mixeur. Ajoutez le bouillon et la sarriette hachée. Faites tourr jusqu'à obtention d'une soupe. Transvasez-la dans une casser et mettez sur feu doux. Incorporez 15 cl de crème en mélange sans arrêt. Laissez cuire doucement pendant 5 minutes. Rectifi l'assaisonnement.

■ Retirez du feu et laissez refroidir complètement avant de placer frais, couvert de film alimentaire, jusqu'au lendemain.

■ Au moment de servir, répartissez dans des bols, ajoutez quelqu gouttes d'huile d'olive et le reste de crème. Décorez de branches sarriette et servez aussitôt.

Vin conseillé Minervois rosé à 9 °C

Blanquette de veau

Préparation 30 min   **Cuisson 2 h**   Difficulté ★★   Budget ⬭

Les Ingrédients

pour 6 personnes

- 1,2 kg d'épaule d'agneau désossée
- 300 g de champignons de Paris
- 70 g de beurre
- 70 g de farine
- 30 cl de vin blanc sec
- 30 cl de crème liquide
- 8 carottes
- 3 poireaux
- 3 jaunes d'œufs
- 2 clous de girofle
- 1 gros oignon
- 1 bouquet garni
- Le jus d'un citron
- Sel, poivre

■ Découpez la viande en morceaux. Mettez les morceaux dans une marm et couvrez-les d'eau froide. Portez à ébullition et écumez parfaitement. Pe deux carottes et l'oignon. Coupez les carottes en gros morceaux et piqu l'oignon de clous de girofle. Ajoutez le vin blanc, l'oignon piqué, les carot et le bouquet garni dans la marmite. Salez et poivrez, puis faites cuire 1 he à petits frémissements.

■ Pendant ce temps, nettoyez les champignons et émincez-les. Porte; ébullition une casserole d'eau citronnée et faites-y blanchir les champigno 1 minute. Égouttez-les et réservez au frais sous film alimentaire.

■ Pelez et coupez les carottes restantes en rondelles. Lavez et émincez poireaux. Portez une casserole d'eau salée à ébullition. Faites-y cuire rondelles de carottes 10 minutes, puis ajoutez les poireaux et prolongez cuisson 10 minutes. Égouttez-les et réservez au frais sous film alimenta Au terme de la cuisson de la viande, éteignez le feu et réservez à couv jusqu'au lendemain.

■ Le lendemain, retirez la viande du bouillon et faites réchauffer celui-ci. Fa fondre le beurre dans une grande sauteuse et ajoutez-y les morcea de viande. Faites-les étuver 10 minutes, puis saupoudrez-les de fari mélangez et versez le bouillon. Faites cuire 10 minutes. Retirez la viande les oignons de la sauteuse et maintenez-les au chaud.

Faites bouillir la sauce 5 minutes. Pendant ce temps, fouettez les jaur d'œufs et la crème. Ajoutez une louche de bouillon, mélangez et reverse; tout dans la sauteuse. Fouettez.

■ Remettez les morceaux de viande dans la sauteuse, ainsi que tous légumes, et faites réchauffer sans laisser la sauce bouillir. Servez très cha avec du riz.

Vin conseillé Alsace-Tokay-Pinot gris à 11 °C

Chili con carne

Les Ingrédients
pour 6 personnes

- 1,2 kg de viande de bœuf hachée grossièrement
- 600 g de haricots rouges
- 50 cl de bouillon de bœuf
- 6 petits oignons nouveaux
- 3 gousses d'ail
- 1 boîte de tomates pelées au naturel
- 1 poivron rouge
- 4 cuill. à soupe d'huile
- 3 cuill. à café de chili en poudre
- 1 cuill. à café de cumin
- 1 cuill. à café d'origan
- Quelques gouttes de tabasco
- Sel, poivre

Faites tremper les haricots dans une grande quantité d'eau froi[de] pendant 12 heures. Pelez et émincez les oignons. Pelez et hach[ez] l'ail. Égouttez les haricots rouges et les tomates.

Faites chauffer l'huile dans une grande cocotte. Faites-y reve[nir] l'ail et l'oignon, puis ajoutez la viande et laissez cuire 5 minutes, [en] remuant.

Versez les haricots dans la cocotte, remuez et incorporez tout[es] les épices. Salez, poivrez et mélangez. Laissez cuire 3 minute[s] puis baissez le feu et mouillez avec le bouillon. Ajoutez les tomat[es] pelées.

Couvrez la cocotte et laissez mijoter pendant 3 heures, en remuant [de] temps en temps. Au besoin, rajoutez de l'eau en cours de cuisso[n.] Éteignez le feu et réservez jusqu'au lendemain.

Le lendemain, faites réchauffer à feu doux. Pendant ce temps, lavez [et] coupez le poivron en tous petits dés. Servez le chili brûlant parser[né] de dés de poivrons rouges.

Vin conseillé Médoc à 14 °C

Couscous aux sept légumes

Préparation **45 min**   Cuisson **1 h 30**   Difficulté ★★   Budget ⬯

Les Ingrédients

pour 6 personnes

- 800 g de semoule fine
- 300 g de pois chiches
- 100 g de beurre
- 3 courgettes
- 3 oignons
- 3 gousses d'ail
- 3 tiges de coriandre fraîche
- 2 aubergines
- 4 carottes
- 4 pommes de terre
- 4 navets
- 4 tomates
- 2 patates douces
- 2 pincées de noix de muscade
- 2 pincées de carvi (Anis des Vosges ou cumin des prés)
- 1 pincée de cannelle
- 1 pincée de piment en poudre
- 1 cuill. à soupe de coulis de tomates
- 1 cuill. à café de graines de coriandre
- Huile
- Sel, poivre

Pelez l'ail et l'oignon, et hachez-les. Après avoir retiré les pédoncules, plongez les tomates 1 minute dans de l'eau bouillante. Égouttez-les et passez-les sous l'eau froide. Épluchez-les, épépinez-les et concassez-les. Faites chauffer trois cuillères à soupe d'huile dans la partie basse du couscoussier et faites-revenir l'ail, l'oignon haché et les pois chiches, en remuant.

Ajoutez dans le couscoussier les épices, les tomates concassées, le coulis de tomates et la coriandre fraîche. Couvrez d'eau à fleur, salez et poivrez. Portez à ébullition, puis baissez le feu et laissez mijoter à feu doux pendant 20 minutes.

Épluchez les carottes, les patates douces, les pommes de terre et les navets puis coupez-les en morceaux. Lavez les courgettes et taillez-les en tronçons. Lavez les aubergines et coupez-les en gros dés. Réservez les courgettes au frais sous film alimentaire. Ajoutez tous les légumes, sauf les courgettes, dans le bouillon, posez la partie supérieure par-dessus et faites cuire 35 minutes. Réservez à couvert jusqu'au lendemain.

Le lendemain, versez la semoule dans un plat, arrosez-la de 20 cl d'eau froide, mélangez et laissez reposer 10 minutes. Remettez 8 cl d'eau froide et laissez reposer 5 minutes. Égrainez la semoule. Versez-la dans la partie supérieure du couscoussier recouverte d'une mousseline. Posez la partie supérieure du couscoussier sur la partie inférieure et faites réchauffer à feu moyen pendant 30 minutes.

15 minutes avant la fin de la cuisson, ajoutez les courgettes dans la partie basse du couscoussier. À la fin du temps de cuisson, versez la semoule dans un grand plat, parsemez-la de beurre en parcelles et mélangez. Faites un creux au centre et mettez-y les légumes. Servez le bouillon de cuisson à part.

Vin conseillé Coteaux d'Aix-en-Provence rosé à 9 °C

Filets mignons aux fruits secs

Préparation **20 min**   Cuisson **1 h 40**   Difficulté ★   Budget ○

Les Ingrédients
pour 6 personnes

- 2 filets mignons de porc
- 12 abricots secs
- 12 pruneaux dénoyautés
- 1 botte de petits oignons blancs nouveaux
- 1 pincée de piment de Cayenne
- 1 pincée de cannelle en poudre
- 100 g de lardons
- 3 cuill. à soupe d'huile
- Sel, poivre

■ Coupez les tiges des oignons en en gardant environ 1 cm. Épluche les oignons. Coupez les pruneaux en deux.

■ Faites chauffer l'huile dans une cocotte. Ajoutez les filets mignon et faites-les dorer sur toutes leurs faces. Quand ils sont bie colorés, ajoutez les oignons, les lardons, le piment de Cayenne et l cannelle.

■ Mélangez, versez 20 cl d'eau, puis salez et poivrez. Couvrez, baisse le feu et laissez mijoter 1 heure en arrosant régulièrement les filet mignons. Quand le temps cuisson est écoulé, éteignez le feu e réservez jusqu'au lendemain.

■ Le lendemain, remettez la cocotte sur feu doux, ajoutez les fruits sec et prolongez la cuisson à couvert 30 minutes.

■ Servez très chaud avec un mélange de riz sauvage et de riz blanc.

Vin conseillé St-Chinian rouge à 15 °C

Grand aïoli

Les Ingrédients
pour 6 personnes

- 1,2 kg de morue
- 500 g de petits calamars
- 250 g de pois gourmands
- 18 bulots cuits
- 12 petits navets nouveaux
- 6 œufs durs
- 3 courgettes
- 3 fenouils
- 1 botte de carottes nouvelles
- 1 bouquet garni
- Le jus d'un citron
- Sel

Pour la sauce :

- 10 gousses d'ail
- 1 jaune d'œuf
- 25 cl d'huile d'olive
- 1 cuill. à café de jus de citron
- Sel, poivre

■ Faites dessaler la morue : mettez-la dans une grande bassine d'eau froide et laissez-la tremper pendant 12 heures, en changeant l'eau régulièrement. Égouttez la morue et coupez-la en morceaux. Portez une casserole d'eau à ébullition avec le bouquet garni. Plongez-y les morceaux de morue et faites-les pocher 15 minutes. Égouttez-les de nouveau et réservez.

■ Épluchez et lavez tous les légumes. Coupez les fenouils en deux et les courgettes en petits tronçons. Mettez tous les légumes dans le panier d'un cuit-vapeur. Ajoutez de l'eau, couvrez et faites cuire en retirant les légumes au fur et mesure qu'ils sont cuits.

■ Faites cuire les calamars dans de l'eau bouillante salée et citronnée pendant 30 minutes. Égouttez-les et réservez-les. Réservez tous les ingrédients au frais sous film alimentaire jusqu'au lendemain.

■ Le lendemain, préparez la sauce : pelez les gousses d'ail et mettez-les dans un mortier avec le jus de citron. Écrasez-les au pilon, puis versez le tout dans un grand bol. Ajoutez le jaune d'œuf et incorporez l'huile d'olive, sans cesser de fouetter. Salez et poivrez. Écalez les œufs et coupez-les en deux.

■ Disposez tous les ingrédients dans un grand plat et servez aussitôt avec la sauce aïoli.

Vin conseillé Tavel à 9 °C

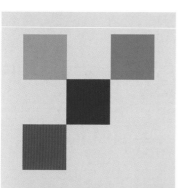

Lapin aux olives

Les Ingrédients
pour 6 personnes

- 1 lapin coupé en morceaux
- 250 g d'olives vertes
- 150 g de poitrine fumée
- 30 cl de vin blanc sec
- 6 gousses d'ail
- 3 feuilles de laurier
- 3 cuill. à soupe d'huile
- Sel, poivre

■ Coupez la poitrine fumée en petits lardons.

■ Faites chauffer l'huile dans une cocotte et mettez les lardons à risso[...] pendant 2 à 3 minutes.

■ Ajoutez les morceaux de lapin et faites-les bien dorer. Quand ils so[...] bien colorés, ajoutez les feuilles de laurier, les gousses d'ail entière[...] et les olives.

■ Versez le vin blanc, salez légèrement, poivrez, puis mélangez bie[...] Couvrez et faites cuire 45 minutes à feu doux. Réservez à couve[...] jusqu'au lendemain.

■ Le lendemain, faites réchauffer à feu doux et servez avec un tian [...] légumes.

Vin conseillé Gaillac rouge à 16 °C

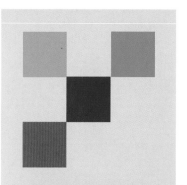

Lasagnes

Préparation **20 min**   Cuisson **50 min**   Difficulté ★★   Budget ○

Les Ingrédients
pour 6 personnes

- 15 feuilles de lasagnes
- 600 g de steak haché
- 80 g de gruyère râpé
- 25 cl de sauce béchamel
- 1 grosse boîte de tomates pelées
- 2 gousses d'ail
- 2 gros oignons
- 3 cuill. à soupe d'huile
- Sel, poivre

■ Plongez les lasagnes dans de l'eau bouillante salée. Faites-les cui selon les indications du paquet. Égouttez-les et posez-les sur un ling

■ Pelez et hachez l'ail et les oignons. Égouttez les tomates en réserva le jus et hachez-les. Faites chauffer l'huile dans une sauteuse. Faites revenir la viande, l'ail et l'oignon 5 minutes, en remuant. Salez, poivr et ajoutez les tomates et le jus. Faites cuire à feu moyen 15 minute

■ Montez les lasagnes en alternant une couche de viande, une couc de sauce béchamel et une couche de feuilles de lasagnes. Termin par la béchamel. Parsemez de gruyère râpé et placez au frais, couve de papier d'aluminium, jusqu'au lendemain.

■ Le lendemain, préchauffez le four th 6 (180 °C). Enfournez les lasagn pendant 20 minutes environ. Les lasagnes doivent être dorées.

■ Servez dès la sortie du four.

Vin conseillé Buzet rouge à 16 °C

Moussaka

Préparation **45 min**   Cuisson **50 min**   Difficulté ★★   Budget ○

Les Ingrédients
pour 6 personnes

- 1,5 kg d'aubergines
- 600 g de bœuf haché
- 3 oignons
- 2 tomates
- 1 boule de mozzarella
- 30 cl de bouillon de bœuf
- 25 g de farine
- Huile d'olive
- Sel, poivre

■ Lavez et coupez les aubergines en tranches dans la longueu Mettez-les dans un plat et salez-les. Laissez-les dégorger 1 heure, pu essuyez-les avec un linge et faites-les frire dans une poêle dans l'hu d'olive. Égouttez-les sur du papier absorbant.

■ Pelez et hachez les oignons. Coupez les tomates en tous pet cubes. Faites chauffer trois cuillères à soupe d'huile dans une poê et faites-y revenir l'oignon. Quand il est blond, ajoutez la tomate et viande. Salez et poivrez. Faites cuire 2 minutes, en remuant.

■ Saupoudrez de farine, mélangez et arrosez de 15 cl de bouillo Faites cuire 10 minutes, en remuant régulièrement.

■ Coupez la mozzarella en tranches. Huilez un plat à gratin. Montez moussaka en alternant une couche de tranches d'aubergines et u couche de préparation à la viande. Terminez par des aubergine Arrosez du reste de bouillon et recouvrez de tranches de mozzarel Placez au frais jusqu'au lendemain, couvert de papier d'aluminium

■ Le lendemain, préchauffez le four th 6 (180 °C). Enfournez la moussa et faites cuire 25 minutes. Servez dès la sortie du four.

Vin conseillé Costières de Nîmes rouge à 16 °C

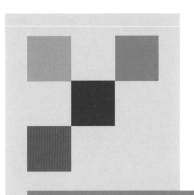

Osso bucco

Préparation **20 min**   Cuisson **2 h**   Difficulté ★   Budget ⭕

Les Ingrédients
pour 6 personnes

- 1 kg de jarret de veau coupé en tranches épaisses
- 10 cl de vin blanc sec
- 10 cl de jus d'orange
- 2 oignons
- 2 tomates
- 1 gousse d'ail
- 1 bouquet garni
- 3 cuill. à soupe d'huile d'olive
- 1 cuill. à soupe de zeste d'orange émincé
- Farine
- Sel, poivre

■ Pelez et hachez finement les oignons et l'ail. Lavez les tomates coupez-les en petits dés. Farinez les morceaux de viande.

■ Faites chauffer l'huile dans une cocotte. Quand elle est chaude, faite y dorer les morceaux de viande.

■ Quand ils sont colorés, ajoutez les oignons et l'ail hachés, et faites blondir. Versez alors le vin blanc et le jus d'orange.

■ Ajoutez les dés de tomates, le zeste d'orange, le bouquet ga puis salez et poivrez. Couvrez et faites cuire 1 heure 30 à feu do Réservez à couvert jusqu'au lendemain.

■ Le lendemain, faites réchauffer à feu doux. Servez très chaud a des tagliatelles.

Vin conseillé Côtes de Castillon à 14 °C

Paella

Préparation **45 min**   Cuisson **1 h 40**   Difficulté ★★   Budget ○

Les Ingrédients
pour 6 personnes

- 600 g de riz
- 300 g de tomates concassées
- 1 l de moules
- 12 cl d'huile d'olive
- 24 crevettes roses crues
- 12 tranches de chorizo
- 6 morceaux de poulet
- 2 oignons
- 2 gousses d'ail
- 2 doses de safran en poudre
- 2 cuill. à café de paprika
- Sel

■ Nettoyez les moules. Épluchez et émincez les oignons. Pelez l'ail, coupez-le en lamelles fines. Faites chauffer la moitié de l'huile dans un plat à paella. Faites-y revenir quelques minutes les crevettes, puis retirez-les à l'aide d'une écumoire et réservez-les au frais.

■ Dans la même huile, faites dorer les morceaux de poulet et l'oignon pendant 5 minutes. Ajoutez les tomates concassées, versez 3 l d'eau et laissez cuire à feu doux pendant 45 minutes. Mettez les moules dans une casserole, couvrez et faites cuire 10 minutes. Retirez-les de la casserole à l'aide d'une écumoire. Filtrez le jus de cuisson et ajoutez-le au bouillon. Salez.

■ Quand le temps de cuisson du poulet est terminé, retirez les morceaux de poulet et versez le bouillon dans un grand saladier. Gardez de côté. Faites chauffer le reste d'huile dans le plat à paella. Faites-y revenir l'ail pendant 3 minutes, puis ajoutez le riz et mélangez.

■ Versez le bouillon par-dessus, puis ajoutez le chorizo, le safran et le paprika. Faites cuire 10 minutes à feu vif. Rectifiez l'assaisonnement. Ajoutez les morceaux de poulet et prolongez la cuisson 10 minutes. Réservez jusqu'au lendemain couvert de papier d'aluminium.

■ Le lendemain, ajoutez les moules et les crevettes roses dans la paella et faites réchauffer doucement. Servez très chaud.

Vin conseillé Corbières rouge à 17 °C

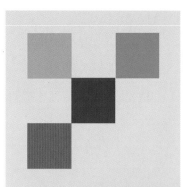

Petit salé aux lentilles

Préparation 45 min   **Cuisson 3 h 30**   **Difficulté ★★**   **Budget ○**

Les Ingrédients
pour 6 personnes

- 1 kg de viande à petit salé (divers morceaux de porc)
- 600 g de lentilles vertes
- 100 g de poitrine fumée
- 2 saucisses de Morteau
- 2 carottes
- 2 oignons
- 2 clous de girofle
- 1 bouquet garni
- Sel, poivre

■ 2 heures avant, faites dessaler la viande dans une grande quantité d'e froide. Égouttez-la, mettez-la dans une marmite et couvrez-la d'e froide. Faites cuire pendant 2 heures à petits bouillons.

■ Pendant ce temps, pelez et coupez les carottes en rondelles. Éplucr les oignons et piquez-les avec les clous de girofle. Coupez la poitr fumée en petits lardons. Dans une grande casserole, mettez les lentill les oignons, les carottes, les lardons et le bouquet garni. Couv d'eau froide, salez et portez à ébullition. Baissez le feu et faites cu 40 minutes.

■ Pendant ce temps, coupez les saucisses de Morteau en gros morcea Quand les lentilles sont cuites, égouttez-les, puis retirez les oignons e bouquet garni. Gardez les lentilles de côté, au chaud.

■ Quand les viandes sont cuites, retirez-les de la marmite à l'aide d'u écumoire et coupez-les en morceaux. Réunissez les lentilles, les morcea de viandes et les saucisses de Morteau dans une grande cocotte à fc épais. Arrosez-les du jus de cuisson de la viande, poivrez, couvrez faites cuire pendant 20 minutes. Réservez jusqu'au lendemain.

■ Le lendemain, faites réchauffer à feu doux et servez directement dans cocotte.

Vin conseillé Beaujolais rouge à 11 °C

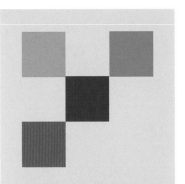

Poulet basquaise

Les Ingrédients
pour 6 personnes

- 1 poulet de 1,5 kg coupé en morceaux
- 4 tomates
- 4 oignons
- 3 gousses d'ail
- 2 tiges de thym
- 2 poivrons rouges
- 1 poivron vert
- 1 poivron jaune
- 100 g de lard
- 10 cl d'huile d'olive
- 10 cl de vin blanc sec
- 1 cuill. à café de paprika
- Sel, poivre

Salez et poivrez les morceaux de poulet. Poudrez-les de paprika. Pelez et émincez les oignons et l'ail. Coupez le lard en petits lardons. Lavez les poivrons et les tomates. Après avoir retiré les pédoncules, coupez les tomates en petits dés. Coupez les poivrons en deux, épépinez-les et taillez-les en lamelles.

Faites chauffer l'huile dans une grande cocotte. Faites-y dorer les morceaux de poulet. Quand ils sont bien dorés, retirez-les de la cocotte et remplacez-les par le hachis d'oignons et d'ail et par les lardons. Faites saisir 2 minutes, en remuant, puis remettez les morceaux de poulet.

Ajoutez les poivrons et les tomates, et faites-les cuire 2 minutes, à feu vif, en remuant. Salez et poivrez.

Baissez le feu, versez le vin blanc, ajoutez le thym, couvrez et faites mijoter pendant 1 heure à feu très doux. Réservez à couvert jusqu'au lendemain.

Le lendemain, faites réchauffer à feu doux et servez avec des tomates à la provençale.

Vin conseillé Coteaux du Tricastin rouge à 14 °C

Sauté d'agneau au curry et aux raisins secs

Préparation 20 min   Cuisson **1 h 15**   Difficulté ★   Budget ○

Les Ingrédients
pour 6 personnes

- 1,5 kg d'épaule d'agneau désossée
- 100 g de raisins secs blonds
- 3 échalotes
- 2 petits piments
- 2 oignons
- 4 cuill. à soupe d'huile
- 1 cuill. à soupe rase de curry en poudre
- Sel

■ Coupez la viande en cubes. Pelez et émincez les oignons. Pelez coupez les échalotes en deux.

■ Faites chauffer l'huile dans une grande sauteuse. Ajoutez les cub de viande, les échalotes et les oignons. Faites-les revenir de tous côtés.

■ Quand ils sont bien colorés, saupoudrez de curry et ajoutez les rais secs et les piments entiers. Salez et mélangez bien. Poursuivez cuisson 5 minutes, puis versez 20 cl d'eau.

■ Baissez le feu, couvrez et poursuivez la cuisson 40 minutes, ajoutant un peu d'eau en cours de cuisson si nécessaire. Réserve couvert jusqu'au lendemain.

■ Le lendemain, remettez la sauteuse sur feu moyen et poursuivez cuisson 20 minutes. Versez le sauté d'agneau dans un plat, recti l'assaisonnement et servez aussitôt avec du riz blanc.

Vin conseillé Fitou à 16 °C

Tajine de poulet aux pêches

Préparation 20 min   **Cuisson 1 h 10**   **Difficulté ★**   **Budget ○**

Les Ingrédients
pour 6 personnes

- 1 poulet de 1,2 kg environ
- 1 kg de pêches
- 150 g d'olives vertes
- 2 oignons
- 4 tiges de coriandre fraîche
- 4 cuill. à soupe d'huile d'olive
- 2 cuill. à soupe de miel liquide
- 1 cuill. à café de graines de coriandre
- 1 cuill. à café de graines de cumin
- Sel, poivre

■ Découpez le poulet en morceaux. Pelez et émincez les oignons. Faites chauffer l'huile dans une cocotte (ou dans un tajine). Faites dorer les morceaux de poulet en les retournant.

■ Quand ils sont bien colorés, retirez-les de la cocotte et remplacez-les par les oignons. Ajoutez le miel et faites cuire les oignons jusqu'à ce qu'ils soient caramélisés.

■ Remettez les morceaux de poulet, ajoutez les épices et les olives. Mélangez bien. Salez et poivrez, couvrez et laissez cuire 1 heure à feu très doux. Éteignez le feu et réservez à couvert jusqu'au lendemain.

■ Le lendemain, remettez le tajine sur feu doux. Pelez les pêches, coupez-les en quartiers. Ajoutez les quartiers de pêches dans la cocotte et prolongez la cuisson 10 minutes.

■ Lavez, séchez, effeuillez et ciselez finement la coriandre. En fin de cuisson, ajoutez la coriandre fraîche dans le plat, rectifiez l'assaisonnement et servez très chaud avec de la semoule fine en accompagnement.

Vin conseillé Premières Côtes de Blaye rouge à 15 °C

Tian provençal

Préparation **20 min**   Cuisson **1 h 30**   Difficulté ★   Budget ○

Les Ingrédients
pour 6 personnes

- 6 tomates
- 4 courgettes
- 3 oignons
- 2 aubergines
- 1 boule de mozzarella
- 1 branche de romarin
- Huile d'olive
- Sel, poivre

■ Préchauffez le four th 5 (150 °C). Lavez les légumes et pelez le oignons. Émincez tous les légumes en fines lamelles.

■ Huilez une terrine. Montez la terrine en alternant les légumes p couches successives. Salez et poivrez légèrement chaque couche parsemez de feuilles de romarin.

■ Arrosez de trois cuillères à soupe d'huile d'olive et enfournez. Faite cuire 1 heure. Sortez le tian du four, laissez-le refroidir et réservez- au frais sous papier d'aluminium.

■ Le lendemain, préchauffez le four th 7 (210 °C). Coupez la mozzare en tranches. Recouvrez le tian de tranches de mozzarella et enfourne pendant 30 minutes.

■ Servez dès la sortie du four.

Vin conseillé Bellet rosé à 9 °C

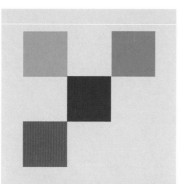

Blancs-mangers à la noix de coco

Préparation 20 min   Cuisson **5 min**   Difficulté ★★   Budget ○

Les Ingrédients
pour 6 personnes

- ¼ l de lait
- ¼ l de lait de coco
- 20 cl de crème liquide
- 150 g de sucre en poudre
- 60 g de noix de coco en poudre
- 6 feuilles de gélatine

Pour la décoration:

- Quelques feuilles de menthe
- 1 cuill. à soupe de graines de grenade

■ Faites ramollir la gélatine dans de l'eau froide. Versez le lait de coc. et le lait dans une casserole, ajoutez la moitié du sucre en poudre (portez à ébullition.

■ Retirez-la casserole du feu, versez la noix de coco en poudre, couvre et laissez infuser pendant 15 minutes.

■ Essorez les feuilles de gélatine. Versez le lait aromatisé dans u saladier, au travers d'une passoire. Ajoutez la gélatine et faites-fondre, en fouettant. Laissez refroidir.

■ Montez la crème en chantilly en ajoutant le reste de sucre en pluie dè que la crème commence à monter. Incorporez-la délicatement au la aromatisé froid. Versez la préparation dans des petits ramequins (placez-les au frais jusqu'au lendemain.

■ Servez les blancs-mangers très froids, décorés de feuilles de menth et de graines de grenade.

Vin conseillé Jurançon moelleux à 7 °C

Charlotte aux fraises

Préparation 30 min   Cuisson **sans**   Difficulté ★★   Budget ○

Les Ingrédients
pour 6 personnes

- 36 biscuits à la cuillère
- 3 feuilles de gélatine
- 2 blancs d'œufs
- 400 g de fraises
- 100 g de sucre en poudre
- 20 cl de crème liquide
- 3 cuill. à soupe de sirop de fraise
- 1 pincée de sel

■ Versez le sirop de fraise dans un bol, ajoutez 5 cl d'eau et mélange. Mouillez l'intérieur d'un moule à charlotte et chemisez-le de pap sulfurisé. Trempez quelques secondes le côté plat des biscuits da le sirop. Posez-les ensuite à la verticale contre les parois des moul côté imbibé vers l'intérieur. Placez au frais.

■ Faites ramollir les feuilles de gélatine dans de l'eau froide. Essore les bien et faites-les fondre dans deux cuillères à soupe d'e bouillante.

■ Lavez et équeutez les fraises. Réservez-en quelques-unes au fra pour la décoration. Mixez les autres pour les réduire en purée. Ajou la gélatine fondue et mélangez bien. Montez la crème en chant en ajoutant le sucre, petit à petit, quand elle commence à prend Montez les blancs en neige très ferme avec le sel.

■ Incorporez la chantilly, puis les blancs en neige, à la purée de fraise Remplissez le moule de mousse de fraises et placez-le au fra jusqu'au lendemain.

■ Le lendemain, juste avant de servir, démoulez la charlotte et décore la de fraises coupées en quatre.

Vin conseillé Vouvray mousseux à 9 °C

Clafoutis caramélisé aux cerises

Préparation **15 min**   Cuisson **30 min**   Difficulté ★   Budget ○

Les Ingrédients

pour 6 personnes

- 450 g de cerises
- 180 g de sucre semoule
- 100 g de farine
- 20 g de sucre vanillé
- 20 g de sucre roux
- 40 cl de lait
- 4 œufs
- 1 noisette de beurre pour le moule

■ Préchauffez le four th 6/7 (200 °C). Versez la farine dans un saladier. Cassez-y les œufs entiers, ajoutez le sucre semoule et fouettez bien en ajoutant le lait, petit à petit, jusqu'à obtention d'une pâte lisse.

■ Lavez, séchez et équeutez les cerises. Répartissez-les dans un moule beurré. Versez la pâte par-dessus et enfournez pendant 20 minutes.

■ Pendant ce temps, mélangez le sucre roux et le sucre vanillé. Sortez le clafoutis du four, en laissant le four allumé. Saupoudrez le clafoutis du mélange de sucre et enfournez à nouveau.

■ Poursuivez la cuisson pendant environ 10 minutes. Si le sucre caramélise trop vite, couvrez le clafoutis de papier d'aluminium pour terminer la cuisson. Sortez le clafoutis du four et laissez-le refroidir. Couvrez de papier d'aluminium et réservez dans un endroit frais.

■ Le lendemain, servez le clafoutis bien froid.

Vin conseillé Pineau des Charentes à 9 °C

Crèmes caramel

Préparation **20 min**   Cuisson **45 min**   Difficulté ★★   Budget ○

Les Ingrédients
pour 6 personnes

- 100 g de sucre en poudre
- 60 cl de lait
- 15 morceaux de sucre
- 3 œufs
- 2 gousses de vanille

■ Imbibez les morceaux de sucre d'eau et placez-les dans une pet
casserole. Mettez la casserole sur feu très doux et laissez cuire, sa
jamais remuer, jusqu'à obtention d'un caramel blond. Versez le caran
dans six ramequins et faites-les tourner de manière à napper
parois.

■ Versez le lait dans une casserole, ajoutez les gousses de van
fendues en deux dans la longueur et le sucre en poudre. Portez
ébullition, puis laissez infuser 5 minutes, avant de retirer la vanille.

■ Préchauffez le four th 6 (180 °C). Battez les œufs entiers en omele
dans un saladier, puis versez tout doucement le lait, sans cesser
battre.

■ Répartissez la crème dans les ramequins. Placez-les ensuite da
un plat à four creux et versez de l'eau chaude à mi-hauteur d
ramequins. Enfournez et faites cuire 35 minutes.

■ Quand les crèmes sont cuites, sortez-les du four et laissez-les refroi
avant de les mettre au frais jusqu'au lendemain. Servez les crèm
très froides, démoulées ou non.

Vin conseillé Monbazillac à 7 °C

Crèmes vanille et chocolat

| Préparation **45 min** | Cuisson **1 h 05** | Difficulté ★★ | Budget ○ |

Les Ingrédients
pour 6 personnes

Pour les crèmes à la vanille :

- 5 jaunes d'œufs
- 2 gousses de vanille
- 100 g de sucre en poudre
- 30 cl de lait
- 15 cl de crème liquide

Pour les crèmes au chocolat :

- 5 jaunes d'œufs
- 100 g de sucre en poudre
- 20 g de cacao en poudre
- ½ l de lait entier

■ Préparez les crèmes à la vanille : préchauffez le four th 6 (180 °C). Fendez les gousses de vanille en deux dans la longueur. Prélevez les graines avec la pointe d'un couteau. Versez le lait et la crème dans une casserole. Ajoutez les graines et les gousses de vanille. Faites chauffer. Aux premiers frémissements, retirez du feu, couvrez et laissez infuser.

■ Pendant ce temps, mélangez les jaunes d'œufs et le sucre avec une spatule en bois. Versez ensuite le mélange crème-lait, en remuant doucement. Filtrez la préparation. Passez l'intérieur de six ramequins sous l'eau froide, puis remplissez-les de préparation, sans les essuyer. Mettez les ramequins dans un grand plat à four. Versez de l'eau chaude à mi-hauteur des ramequins et enfournez pendant 30 minutes.

■ Préparez les crèmes au chocolat : préchauffez le four th 5 (150 °C). Faites chauffer le lait. Fouettez les jaunes d'œufs avec le sucre jusqu'à ce que le mélange blanchisse. Ajoutez le cacao et mélangez bien. Versez le lait en filet en mélangeant.

■ Passez l'intérieur de six ramequins sous l'eau froide et mettez-les dans un plat à four. Remplissez-les de préparation, sans les essuyer. Versez de l'eau chaude à mi-hauteur des ramequins et enfournez. Faites cuire 30 minutes.

■ Laissez les crèmes refroidir complètement avant de servir.

Vin conseillé Cadillac moelleux à 7 °C

Esquimaux aux fruits

Préparation 40 min **Cuisson 10 min** **Difficulté ★★** **Budget ○**

Les Ingrédients
pour 6 personnes

Pour le sorbet à l'orange:
- 500 g de quartiers d'oranges pelés à vif
- 100 g de sucre en poudre
- 10 g de glucose

Pour le sorbet au citron:
- 500 g de quartiers de citrons pelés à vif
- 150 g de sucre en poudre
- 10 g de glucose

Pour le sorbet à la fraise:
- 400 g de fraises
- 100 g de sucre en poudre

■ Lavez et séchez les fraises. Retirez les queues et coupez les fruits morceaux. Passez-les au mixeur pour les réduire en purée.

■ Mettez le sucre dans une casserole avec 5 cl d'eau. Portez à ébulli et laissez bouillir 2 minutes. Laissez refroidir. Mélangez le sirop e purée de fraises, puis réservez.

■ Mixez finement la pulpe d'orange. Versez le sucre dans une casser ajoutez 5 cl d'eau et portez à ébullition. Ajoutez le glucose et mélan jusqu'à dissolution. Retirez du feu et laissez tiédir, avant d'ajoute pulpe d'orange. Mélangez bien et versez dans une sorbetière. Turbinez. Lorsque la préparation est prise, réservez.

■ Procédez de même pour le sorbet au citron.

■ Remplissez des moules à esquimau des trois préparations. Pla au congélateur 10 minutes, puis enfoncez des bâtons dans esquimaux et remettez au congélateur jusqu'au lendemain.

Vin conseillé Crémant de Bourgogne à 7 °C

Gâteau à la mousse au chocolat et au caramel

Préparation 40 min   **Cuisson 15 min**   Difficulté ★★   Budget ○

Les Ingrédients
pour 6 personnes

- 1 plaque de génoise au chocolat

Pour la mousse:
- 200 g de chocolat
- 80 g de sucre glace
- 15 cl de crème liquide
- 6 œufs
- 1 pincée de sel

Pour le caramel:
- 150 g de sucre en poudre
- 20 cl de crème fraîche épaisse

■ Garnissez un moule à fond amovible de génoise au chocolat. Préparez le caramel : versez le sucre dans une casserole, ajoutez u cuillère à soupe d'eau et faites cuire à feu doux jusqu'à obtention d caramel foncé. Retirez du feu et ajoutez la crème fraîche en remu vigoureusement avec une spatule. Versez le caramel dans le mo et placez-le au frais.

■ Pendant ce temps, préparez la mousse : cassez le chocolat morceaux. Faites-le fondre au bain-marie, en remuant de temps temps. Séparez les blancs des jaunes d'œufs. Réservez les blan au frais.

■ Quand le chocolat est fondu et bien lisse, versez-le dans un salad Ajoutez les jaunes d'œufs en fouettant. Fouettez la crème liqu en la saupoudrant de sucre glace quand elle commence à mon Incorporez délicatement la crème fouettée au chocolat fondu.

■ Montez les blancs en neige très ferme avec le sel, puis incorporez- à leur tour, très délicatement, à la préparation.

■ Versez la mousse sur le caramel, lissez bien et remettez au fr jusqu'au lendemain. Sortez le gâteau du réfrigérateur 1 heure av de le servir.

Vin conseillé Saussignac à 7 °C

Granité de limonade à la rose

Préparation **5 min**   Cuisson **5 min**   Difficulté ★   Budget ○

Les Ingrédients
pour 6 personnes

- ½ l de limonade
- 5 cl d'eau de rose
- 200 g de sucre en poudre
- Pétales de roses pour la décoration

■ Versez l'eau de rose dans une casserole et ajoutez 20 cl d'eau, afin d'obtenir 25 cl de liquide. Ajoutez le sucre en poudre et mélangez bien. Portez à ébullition et laissez bouillir 5 minutes.

■ Retirez du feu, ajoutez la limonade et laissez refroidir.

■ Versez la préparation dans un plat creux allant au freezer. Faites prendre, en mélangeant à la fourchette toutes les 15 minutes jusqu'à obtention d'un granité.

■ Gardez au freezer jusqu'au lendemain.

■ Répartissez le granité dans six verres et servez aussitôt décoré de pétales de roses.

Vin conseillé Blanquette de Limoux à 7 °C

Mousse au chocolat

Les Ingrédients
pour 6 personnes

- 200 g de chocolat
- 80 g de sucre glace
- 15 cl de crème liquide
- 6 œufs
- 1 pincée de sel

■ Cassez le chocolat en morceaux. Faites-le fondre au bain-marie, remuant de temps en temps. Séparez les blancs des jaunes d'œu Réservez les blancs au frais.

■ Quand le chocolat est fondu et bien lisse, versez-le dans un saladi Ajoutez les jaunes d'œufs en fouettant.

■ Fouettez la crème liquide en saupoudrant de sucre glace quand e commence à monter. Incorporez délicatement la crème fouettée chocolat fondu.

■ Montez les blancs en neige très ferme avec le sel, puis incorporez-l à leur tour très délicatement à la préparation. Répartissez la mous dans six coupes.

■ Mettez la mousse au frais jusqu'au lendemain. Servez très froid.

Vin conseillé Sauternes à 7 °C

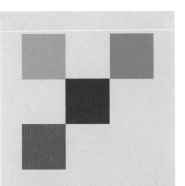

Poires aux épices

Préparation **15 min**   Cuisson **50 min**   Difficulté ★   Budget ○

Les Ingrédients
pour 6 personnes

- 6 poires
- 50 cl de vin rouge
- 150 g de sucre en poudre
- 3 bâtons de cannelle
- 2 gousses de vanille
- 2 clous de girofle
- 1 étoile de badiane

■ Versez le vin rouge, le sucre, les gousses de vanille fendues en de dans la longueur, la cannelle, la badiane et les clous de girofle da une casserole. Faites chauffer jusqu'aux premiers frémissements.

■ Pendant ce temps, pelez les poires. Quand le vin frémit, posez poires debout dans la casserole. Faites cuire 45 minutes à petit fe en arrosant les poires très régulièrement.

■ Quand la cuisson est terminée, couchez les poires dans un salac et arrosez-les de leur jus de cuisson, de manière à ce qu'elles soi entièrement recouvertes.

■ Laissez refroidir et placez au frais jusqu'au lendemain.

■ Le lendemain, au moment de servir, placez chaque poire debout da un ramequin, arrosez de vin et servez aussitôt.

Vin conseillé Crémant de Loire blanc à 9 °C

Soupe d'agrumes au miel

Les Ingrédients
pour 6 personnes

- 5 pamplemousses jaunes
- 5 oranges
- 50 g de sucre en poudre
- 3 cuill. à soupe de miel liquide
- 2 cuill. à soupe de pignons de pin

■ Pressez le jus des oranges et versez le jus obtenu dans une casserᵒ Ajoutez les pignons et le miel. Portez à ébullition, retirez du feu réservez.

■ Pelez à vif tous les pamplemousses. Détachez les quartiers passant la lame d'un couteau à dents entre les fines membranes séparant.

■ Mettez tous les quartiers dans un saladier et saupoudrez-les de suc Mélangez.

■ Versez le jus d'orange au miel par-dessus et placez au frais jusqu lendemain.

■ Servez très frais avec des tuiles aux amandes.

Vin conseillé Loupiac à 7 °C

Tajine de fruits au miel

Préparation **20 min**   Cuisson **15 min**   Difficulté ★   Budget ○

Les Ingrédients
pour 6 personnes

- 12 abricots secs
- 12 figues fraîches
- 3 clémentines confites
- 3 kiwis
- 2 bâtons de cannelle
- 1 grosse grappe de raisins
- Le jus d'une orange
- 4 cuill. à soupe de miel
- 2 cuill. à soupe de pignons de pin

■ Coupez les figues en quatre et les clémentines confites en quartier. Pelez et coupez les kiwis en morceaux. Lavez et égrainez le raisin puis coupez les grains en deux.

■ Versez le miel dans un tajine. Ajoutez les bâtons de cannelle cassé en morceaux. Mettez sur le feu et faites chauffer.

■ Aux premiers frémissements, ajoutez tous les fruits et mélange délicatement. Versez le jus d'orange, parsemez de pignons couvrez. Faites cuire 10 minutes.

■ Retirez du feu et laissez refroidir avant de placer au frais jusqu'a lendemain.

■ Au moment de servir, mélangez délicatement et répartissez le tajin de fruits dans des verres. Servez bien froid.

Vin conseillé Coteaux du Layon à 7 °C

Tartelettes au citron

Préparation **20 min**   Cuisson **30 min**   Difficulté ★   Budget ○

Les Ingrédients
pour 6 personnes

- 250 g de pâte brisée
- 300 g de sucre en poudre
- 80 g de beurre
- 6 œufs
- 3 citrons non traités
- 2 cuill. à soupe de farine pour le plan de travail
- 1 noix de beurre pour les moules

■ Préchauffez le four th 7 (210 °C). Lavez soigneusement les citrons séchez-les. Râpez finement le zeste et pressez le jus. Faites fondre beurre. Fouettez les œufs entiers avec le sucre, puis ajoutez le zest le jus des citrons et le beurre fondu.

■ Étalez la pâte sur un plan de travail fariné. Piquez la pâte avec un fourchette et découpez-y six disques à la taille des moules à tartelett Beurrez les moules et garnissez-les de pâte. Enfournez et faites cui 10 minutes.

■ Sortez les fonds de tartelettes du four et baissez le four th 6 (180 °C Versez la préparation dans les fonds de tartelettes et enfournez nouveau. Faites cuire 20 minutes.

■ Sortez les tartelettes du four et laissez-les refroidir complèteme avant de les mettre au frais jusqu'au lendemain.

■ Accompagnez les tartelettes d'un sorbet aux fruits rouges.

Vin conseillé Haut Montravel moelleux à 7 °C

Terrine de chocolat meringué

Préparation 45 min   **Cuisson 15 min**   **Difficulté ★★**   **Budget ◯**

Les Ingrédients
pour 6 personnes

Pour la terrine :
- 500 g de chocolat noir
- 100 g de sucre glace
- 20 cl de crème liquide
- 6 œufs
- 6 petites meringues
- 6 feuilles de gélatine

Pour la sauce caramel :
- 200 g de sucre en poudre
- 50 g de beurre
- 10 cl de crème liquide
- 3 cuill. à soupe d'eau

■ Préparez la terrine : faites fondre le chocolat au bain-marie. Fai[tes] ramollir les feuilles de gélatine dans de l'eau froide. Cassez [les] meringues en petits morceaux. Chemisez une terrine de f[ilm] alimentaire. Versez la crème liquide dans une casserole et porte[z] à ébullition. Retirez-la du feu. Essorez la gélatine et faites-la fon[dre] dans la crème en fouettant. Versez la crème dans le chocolat fon[du] et mélangez bien.

■ Séparez les blancs des jaunes d'œufs. Fouettez les jaunes av[ec] le sucre glace jusqu'à ce que le mélange blanchisse. Ajoutez [la] préparation au chocolat.

■ Montez les blancs en neige et incorporez-les délicatement à [la] préparation, puis ajoutez les petits morceaux de meringues [et] mélangez délicatement. Versez la préparation dans la terrine. Liss[ez] le dessus et placez au frais jusqu'au lendemain.

■ Le lendemain, préparez la sauce caramel : versez le sucre dans u[ne] casserole, ajoutez l'eau et faites cuire jusqu'à obtention d'un caram[el] brun. Retirez du feu et incorporez le beurre en mélangeant viveme[nt] puis ajoutez la crème. Mélangez bien et réservez à tempéra[ture] ambiante.

■ Démoulez la terrine, coupez-la en tranches épaisses et répartissez-[les] dans des assiettes. Entourez de sauce caramel et servez aussitôt.

Vin conseillé Rivesaltes ambré à 14 °C

Index

Recette	Préparation	Cuisson	Difficulté	Budget	Vin	P
Entrées						
Cake à la feta	15 min	40 min	★★	⬭	Bourgogne blanc à 9 °C	
Flan aux légumes	40 min	1 h 30	★★	⬭	Côtes de Saint-Mont rosé à 9 °C	
Fromage de chèvre mariné aux anchois et aux tomates	25 min	1 h	★★	⬭	Bourgogne-Aligoté à 9 °C	1
Rillettes de saumon	15 min	15 min	★	⬭	Chablis à 9 °C	1
Salade de chou rouge aux raisins secs	25 min	1 min	★★	⬭	Bordeaux blanc sec à 9 °C	1
Salade piémontaise	25 min	50 min	★	⬭	Sauvignon à 9 °C	1
Sangria	10 min		★	⬭		1
Soupe de potiron	30 min	1 h	★	⬭	Graves blanc à 9 °C	2
Taboulé oriental aux raisins	25 min	5 min	★	⬭	Côtes de Provence rosé à 9 °C	2
Tarte au poireau et au jambon	20 min	45 min	★	⬭	Alsace-Pinot blanc à 9 °C	2
Tartelettes aux courgettes	40 min	35 min	★★	⬭	Bandol rosé à 9 °C	2
Terrine de betteraves et de carottes en gelée	30 min	25 min	★★	⬭	Saumur-Champigny à 16 °C	2
Tomates confites	5 min	3 h	★	⬭	Bordeaux Supérieur rouge à 15 °C	3
Velouté glacé de courgettes à la sarriette	20 min	30 min	★	⬭	Minervois rosé à 9 °C	3
Plats						
Blanquette de veau	30 min	2 h	★★	⬭	Alsace-Tokay-Pinot gris à 11 °C	3
Chili con carne	20 min	3 h 20	★	⬭	Médoc à 14 °C	3
Couscous aux sept légumes	45 min	1 h 30	★★	⬭	Coteaux d'Aix-en-Provence rosé à 9 °C	3
Filets mignons aux fruits secs	20 min	1 h 40	★	⬭	St-Chinian rouge à 15 °C	4
Grand aïoli	40 min	1 h	★	⬭	Tavel à 9 °C	4
Lapin aux olives	20 min	1 h	★	⬭	Gaillac rouge à 16 °C	4
Lasagnes	20 min	50 min	★★	⬭	Buzet rouge à 16 °C	4

Index par ingrédients

Fruits

Légumes

Champignons

Herbes

© 2006, Éditions Clorophyl

Textes des recettes. Crédits iconographiques : Agence Sucré Salé
Photographes : Bagros, Bilic, Bono, Caste, Desgrieux, Ginet-Drin, Hall, Hussenot, Japy, Leser, Lorthios, Marielle, Nicoloso, Roulier-Turiot, Sirois et Viel
Conception et adaptation : Idées Book
Création et mise en page : a linea infographie et création
Code Éditeur : 2-35086
Dépôt légal : janvier 2008
Imprimé et relié en Italie